KB178239

이단.박창수 지음

1

세상에 모든 것들이 캘리로 보인다면
당신은 이미 캘리그라퍼가 될 자격이 있습니다
잘 정리하고 다듬어서 멋지고 좋은 작품들
만들어 내시길 바래 봅니다

2048px 2732px
뭐라도 하지 않으면
변화는 없다
RHIDAN
2024.5.4

캘리는 글자 크기에 따라 그 표현이
많이 달라집니다 어느 정도 연습을 하면
자기에 맞는 캘리체가 나온 답니다

2048px 2732px
다만 마음 으로만
RHIDAN
2024.4.10

2048px 2732px
추상화
RHIDAN
2024.5.5

캘리를 쓰다보면 어느 순간 한계가 찾아 온답니다

그때는 그림을 그려 보세요
별다른 재주가 없어도 가능 하답니다
그리고 캘리를 하는 데에 많은 도움도 되지요

캘리는 우리 마음에 소리 입니다
우리 마음에 표현 입니다
그리고 쓰다를 반복하다 보면
어느 순간 생각과 일치하는 캘리가 탄생 하지요
그러려면 많이 쓰고 그려야 되겠죠

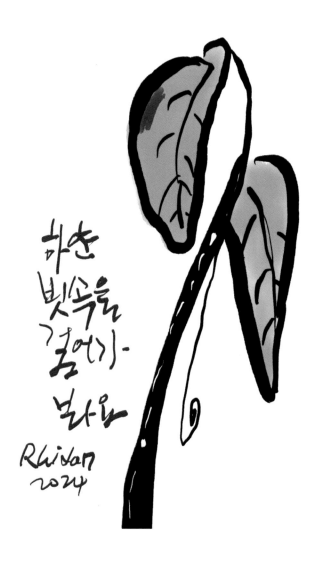

2048px 2732px
하얀 빗속을 걸어가 봐요
RHIDAN
2024.5.5

캘리도 인생수업의 한 과목 입니다
인생을 쓰고 그리다 보면
우리는 어느새 박사가 되는 거지요
살다가 지쳐 버리는 순간 큰 공감이 가는
인생수업
캘리로 표현해 보아요 우리

2048px 2732px
인생수업
RHIDAN
2024.5

깨우치리라 말함을 알아야 한다

캘리도 깨우침이 있어요
그 깨우침을 실천해 나가보세요

2048px 2732px
깨우치리라
RHIDAN
2024.5

캘리의 씨앗은 나 자신이며 나의 이야기 입니다
자기가 갖은 탈렌트를 발휘에 보세요
분명 나 자진의 글로 그림으로 승부 할수 있습니다
지도자로 저자로 설수 있을 겁니다

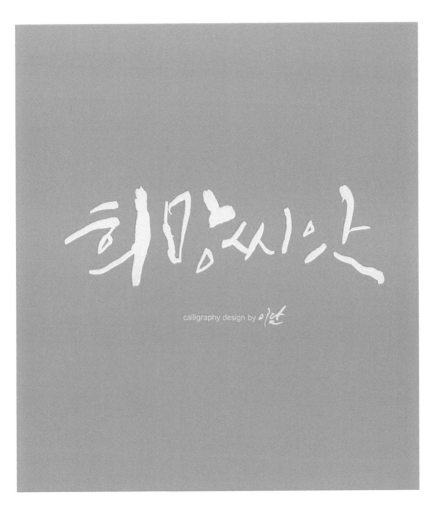

calligraphy design by 이단

2048px 2732px
희망씨앗
RHIDAN
2024.5

행복이란
지금내가
존재하고
있다는 사실이다
오늘은 어제죽은이가
그토록 살고 싶었던
내일이기 때문이다

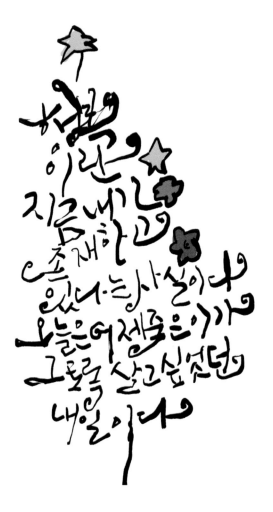

2048px 2732px
행복이란
RHIDAN
2024.5

말하고자 하는
일은 잊지말아요
캘리를 한다는 마음자세를
잊지말아요
마음가짐이 중요 합니다

2048px 2732px
잊지 말아요
RHIDAN
2024.5

옳은 소리 이다
발소리에 맞추어
앞으로 나아가라
그리고 외쳐라

calligraphy design by 이란

2048px 2732px
옳은소리
RHIDAN
2024.5

캘리에 소재는 무궁무진하다
그것을 깨달기까지 시간이 필요하다
단지 쓰는 일에 매달린다면
그 세상을 볼수 없음은 분명하다
캘리의 시각을 넓혀라
그럼 문이 열리고
소재가 차고 넘을 것이다

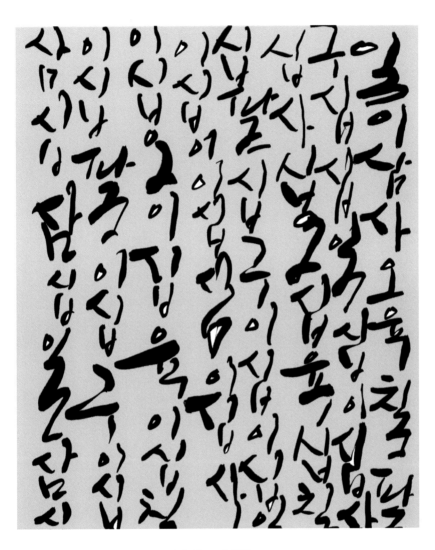

2048px 2732px
숫자한글
RHIDAN
2024.5

29

오직 캘리만
온통 캘리
살아가는 이유가 생겨 기쁘다
내마음 정신은 온통 캘리세상이다
그마음 그세상에서 내게 올 캘리를
난 오늘도 기다리고 기다리고 있다

calligraphy design by 이단

2048px 2732px
온통캘리
RHIDAN
2024.5

그림에 캘리를 얹으면
너무나도 기분 좋은 느낌이 든다
캘리가 얼마만큼 된다면 그림에 열중해 보아라
그림 두배 아니 세배의 기쁨이 솟아 날 것이다

"이젠 말할 때가
되었습니다"

RHIDAN 그리고 쓰다

2048px 2732px
이젠
RHIDAN
2024.5

캘리는 현재에 안주하는 것이 아니라
미래를 만들어 가는 여정이다
미래의 선택은 자신에 달린 것이며
또 나아가는 일이다
힘들고 지쳐 있을 때 붓을 잡아라
그리고 그마음을 치료할 캘리를 적어라
난 미래를 꿈꾼다
미래에서 올 캘리를 맞이하려고 ...

2048px 2732px
미래의 선택
RHIDAN
2024.5

마음아픈 사랑은 사랑이 아니였음을
그 사랑을 지나고 나 후에야 알았습니다

다시는 이별하지 않겠습니다

2048px 2732px
아픈사랑
RHIDAN
2024.5

삶의 의미는 많이 들 있습니다
너는 나의 삶의 의미이니까
가슴아파 본 사람들은
그 상처 곁에 못 가지요
압니다 알고 알고 말고요
다시는 그 상처 받지 않으려

Calligraphy by 박창수

2048px 2732px
삶의 의미
RHIDAN
2024.5

새들은 날아가고
태양은 붉게 떠 있다
봄은 다시 고개를 들고
어김 없이
찾아 왔구나

2048px 2732px
하루
RHIDAN
2024.5

난은
조용한 속에서
누구의 부름도 없이
맑은 향이
피어 있네

난은
조용한 속에서
누구의 부름도
없이 맑은
향이 피어
있네

Calligraphy by 박창수

2048px 2732px
난
RHIDAN
2024.5

45

뒷동산에 매화 꽃
곱게피던 봄날
우리님은
소식이 없네

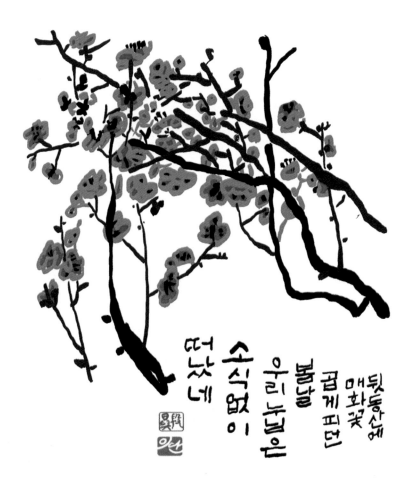

뒷동산에
매화꽃
곱게피던
봄날
우리누님은
소식없이
떠났네

2048px 2732px
매화
RHIDAN
2024.5

한송이 국화 꽃을
피우기 위해
봄부터 소쩍새는
그렇게 울었나 보다

한송이
국화꽃을
피우기위해

봄부터 소쩍새는

그렇게 울었나

보다

2048px 2732px
국화
RHIDAN
2024.5

예술의 의미를
찾는 것과
다름이 없다
건강한 모습으로
다시 만나자

2048px 2732px
캘리의 의미
RHIDAN
2024.5

캘리열정
열정캘리
말 그대로 이다
열정이 식지 않는 한
캘리는 영원 하리다

2048px 2732px
캘리열정
RHIDAN
2024.5

깨우쳐야 합니다
내것을 찾아
떠아야 합니다

Calligraphy by 박창수

2048px 2732px
깨우침
RHIDAN
2024.5

마음은 청춘
도전하는
청춘이
아름답다
누구나 청춘 깃발에
앞에 줄서서
도전하시길

도전하는 청춘이 아름답다!

calligraphy design by 이연

2048px 2732px
도전
RHIDAN
2024.5

바람없는 곳에서는
꽃도 피지 않는다

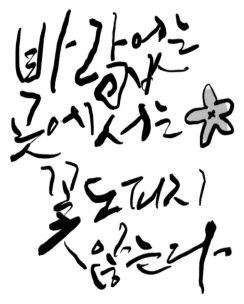

calligraphy design by 이란

2048px 2732px
바람꽃
RHIDAN
2024.5

멀리 날아 오르렴
너의 생각 만큼

2048px 2732px
생각만큼
RHIDAN
2024.5

난이 피어나는 절경 속에
고요히 자리 잡은 이 순간,
산새의 고운 울음소리마저도
이 꽃의 아름다움 앞에 잠시 멈춘 듯.

햇살 아래 반짝이는 그 모습,
은은한 향기로 가득 찬 공기,
세상의 소란함을 잊게 하는
난이 선사하는 조용한 위로.

영원히 간직하고픈 이 광경을
나는 가슴 속 깊이 새기리,
난이 꽃 피는 이 아름다운 순간을
시간이 멈춘 듯, 영원히.

2048px 2732px
난
RHIDAN
2024.5

죽림 속에 선 대나무,
푸르른 잎사귀 사이로 바람이 속삭인다.
겨울의 매서운 추위에도
굴하지 않는 저 곧은 자태.

대나무의 그림자는 길고 곧게,
산들바람 따라 춤을 추며,
시간이 흘러도 변치 않는
그 의연함에 마음이 끌린다.

흔들리지만 결코 부러지지 않는,
저 굳건함이야말로 진정한 힘.
세상 모든 것이 변해도,
대나무처럼 단단히 서리라.

2048px 2732px
죽
RHIDAN
2024.5

당찬 하루 지나고 긴 쉼의 날이 왔다

2024.2.29
아 진짜그리네 [인장]

2048px 2732px
쉼
RHIDAN
2024.5

별난 것 없습니다
그저 제 갈길 갈뿐 입니다
나는 언제나 옳다는 생각을 버리고
자신을 낮추시길
바래 봅니다

2048px 2732px
겸손
RHIDAN
2024.5

75

멀리 떨어져라 합니다
옳고 그른 것을 알아차려라

2048px 2732px
해안
RHIDAN
2024.5

새를 보고 날아가는

2048px 2732px
날아가고
RHIDAN
2024.5

登新平樓
신평루에 올라

고향 떠나 신평루에 오르니
고향 생각에 늦가을이 서글퍼
하늘이 깊어 저무는 해 멀고
강물이 맑아 흐르는 물 차다
진나라 흰구름 산봉 숲에 일고
오랑캐 기러기 모래 섬에 난다
수만리 창창한 고향길
볼수록 서글픔 더하네

80

2048px 2732px
登新平樓
RHIDAN
2024.5

완성하여라
이단체를
말씀에 말씀을
온다
다시 살아 온다

2048px 2732px
이단체
RHIDAN
2024.5

懺君能衛足 嘆我遠移根
白 日如分照 還歸守故園

그대 능히 발목 지킴 봐 부끄럽고
내가 멀리 뿌리 옮겨탄스러워
날빛이 만일 고르게 비추이면
고향에 돌아 논밭을 지키리라

2048px 2732px
무제1
RHIDAN
2024.5

상제의 명이 어그러지지 아니하사
탕 임금에 이르러 부합되시니
탕 임금의 탄생이 늦지 않으시며 성스럽고 존경스러움이
날로 올라가사 하늘에 밝게 이름을 오래하고 오래하사
상제를 이에 공경하시니 상제께서 명하셔서 구주에 모범이
되게 하시니라.
작은 홀과 큰 홀을 받으사 제후의 면류관을 쓰시어 하늘의
아름다움을 받으셨도다.
강하지도 않고 느슨하지도 않으시며 강하지도 않고 부드럽지
도 아니하사 정사를 펴기를 너그럽게 너그럽게 하시니 온갖
복록이 이에 모이도다.

2048px 2732px
무제2
RHIDAN
2024.5

사람을 다스리고 하늘을 받드는 일에
아끼는 마음만 한 것이 없다.
무릇 오직 아끼는 것 이를 일찍이 도를 따름이라 하며
거듭 덕을 쌓는 것이라 이르기도 한다. 거듭 덕을 쌓으면
이기지 못할 것이 없다.
이루지 못할 일이 없음은 그 끝을 알지 못한다.
그러한 마음이라야 나라를 다스릴 수 있다.
나라를 다스리는 근원은 장구(長久)함이다. 이를 일러 뿌
리가 깊고 튼튼하다라고 한다.
오래 살고 오래 보는 장생구시의 도(道)라 한다

2048px 2732px
무제3
RHIDAN
2024.5

衆鳥高飛盡 孤雲獨去閑

뭇 새들 높이 날아 사라진 푸른 하늘에
한 조각 하얀 구름 유유히 떠서 흐르네

2048px 2732px
무제4
RHIDAN
2024.5

相看兩不厭 只有敬亭山

서로 마주 보아도 물리지 않음은
오로지 경정산 너뿐인가 하노라

2048px 2732px
무제5
RHIDAN
2024.5

예쁜 여인 주렴 걷어올리고
깊이 앉아눈썹 씽그리어라
눈물 자죽 촉촉하니 내보이나
뉘를 한하나 가슴 속은 알 수없네

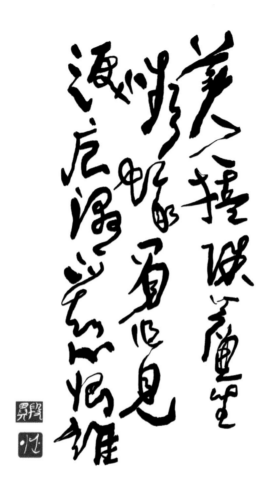

2048px 2732px
무제6
RHIDAN
2024.5

예쁜 여인 주렴 걷어올리고
깊이 앉아눈썹 씽그리어라
눈물 자죽 촉촉하니 내보이나
뉘를 한하나 가슴 속은 알 수없네

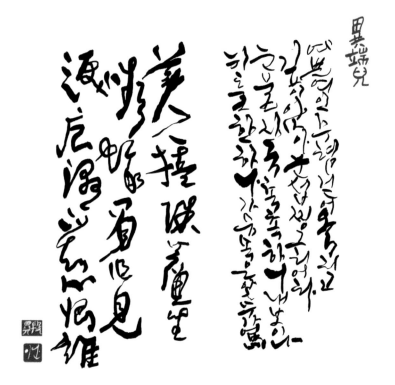

무제7
RHIDAN
2024.5

101

남쪽 두릉위에 올라
북쪽 오릉사이 보니
가을 강물 석양에 눈부시어
빛에 가려 먼산들 안보이네

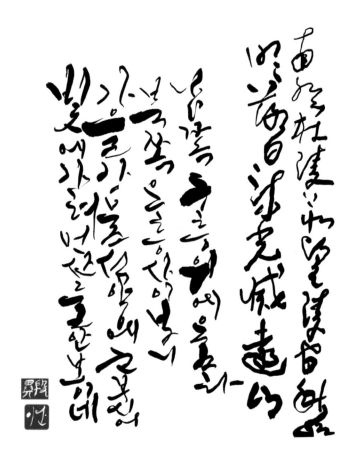

2048px 2732px
무제8
RHIDAN
2024.5

남쪽 두룽위에 올라
북쪽 오룽사이 보니
가을 강물 석양에 눈부시어
빛에 가려 먼산들 안보이네

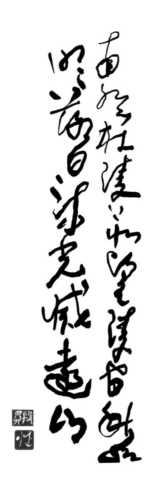

2048px 2732px
무제9
RHIDAN
2024.5

발전할 기회를 얻는다
먼저 그 일을 분석하고
연구할줄 알아야 한다

2048px 2732px
발전
RHIDAN
2024.5

살아온 인생은
어찌 할 수 없지만
미래의 인생은 바꿀 수 있다

2048px 2732px
미래의 삶
RHIDAN
2024.5

바람이 불어 온다
계절 바람이

2048px 2732px
바람
RHIDAN
2024.5

산마루에서 바라보니
깊은 골짜기, 우뚝 솟은 봉우리
고요한 풍경 속 어우러진 푸르름에
온 마음이 절로 고요해진다

구름 한 조각 스쳐 가는 듯
산자락마다 이슬 맺히고
강인한 바람도 이곳에 닿으면
부드럽게 속삭이는 듯

산새의 노래가 메아리치며
나뭇잎 사이로 햇살이 쏟아지니
이 순간 모든 번뇌가 사라지고
오직 자연과 나, 그리고 이 산만이

이곳에서 모든 것이 참되어
순수한 자연의 한 페이지가 되어
산이 내게 가르쳐 준
잊지 못할 교훈을 안고 가리라

2048px 2732px
山
RHIDAN
2024.5

그림 한 폭에 갇힌 세상
물감이 번져가는 순간 순간마다
시간이 멈추고, 공간이 펼쳐진다

팔레트 위에서 춤추는 색들
붓끝에 담긴 이야기가 캔버스를 만나
하나의 우주가 되어 피어난다

어느 날은 푸른 하늘을 그리다가
그 속에 작은 집 하나를 더하고
그 창문 너머로 꿈을 본다

다른 날은 폭풍의 물결을 그리며
검푸른 바다에 배 한 척을 띄우고
그 안에서 용기를 그려본다

매번 새로운 세계가 펼쳐지는 그림 속에서
나는 또 다른 나를 만나
조금씩 내 안의 세계를 확장해 간다

그림 한 폭 속에 담긴
무한한 가능성과, 때론 고요한 위로
이 모든 것이 내게는 하나의 선물 같아

2048px 2732px
무의식1
RHIDAN
2024.5

117

일어나라
날아 오르라

2048px 2732px
날아
RHIDAN
2024.5

자기를 지켜라
온전한 자신을

2048px 2732px
자신을 지켜라
RHIDAN
2024.5

일일세
그리 살면 안돼는
철학없는 사람아

2048px 2732px
삶의 철학
RHIDAN
2024.5

사는 동안
몇번을 울지도
몰라

2048px 2732px
몇번을
RHIDAN
2024.5

작가의 손끝에서 태어난 세계
한 점, 한 획에 숨결을 불어넣어
색채는 감정의 언어로 흐르고
평범한 캔버스가 생명을 얻어

그림자와 빛 사이 묘한 조화
먹물 같은 어둠 속에서도 빛나는 꿈
잊혀졌던 기억들이 스며들어
감춰진 이야기들을 조용히 깨워

매 순간 변하는 감정의 파노라마
보는 이의 마음에 따라 달라지는 풍경
아름다움이란 무엇인가를 묻는 듯
그림은 스스로를 끊임없이 재창조해

감상자의 눈에 비친 또 다른 세상
모든 감정을 흡수하고 반사하는 거울
그림 속에 담긴 수많은 삶과 사랑, 고통
그 모든 것이 한데 어우러져

이 그림이 마지막 획을 거두는 순간
새로운 세계가 또 다시 시작되리니
예술가의 꿈이 현실이 되는 그 곳에서
우리 모두는 진정한 아름다움을 찾아나서리라

LEEDAN

2048px 2732px
무의식2
RHIDAN
2024.5

하얀 도화지 위로 펼쳐지는 꿈
붓끝에 담긴 세상의 색감이
순간의 감정을 채우고
영원을 그리는 시간

빛과 그림자가 만나는 곳
부드러운 선들이 조화를 이루며
감성의 물결이 흘러넘치고
풍경은 마음을 그리네

파랗게 물든 하늘 아래
그린 나무들의 싱그러운 초록
한 폭의 그림이 되어
눈앞에 선명하게 펼쳐지고

꿈꾸는 듯한 세상 속에서
나만의 이야기를 그려내며
모든 것이 순간의 예술이 되어
생의 감동을 더해가네

2048px 2732px
무의식3
RHIDAN
2024.5

내 마음 속 깊은 곳에 그려진 그림
색채는 무르익고 선은 자유로워
감정의 붓끝이 스치는 대로
한 폭의 그림이 되어 펼쳐진다

하얀 도화지 위에 첫 터치는 조심스레
그러나 점점 대담해지는 색의 조합
감정의 파도가 밀려오면 오랜만에
차곡차곡 쌓인 이야기들이 색을 만난다

어느새 붓은 춤추듯 움직이고
잊었던 추억들이 하나둘 캔버스에 살아난다
그 속에서 나를 발견하고
그림은 또 다른 나를 말해준다

완성된 그림 앞에서 모든 시간이 멈추고
그 순간 모든 감정이 한데 어우러진다
이 그림 속에 내 삶의 조각들이
영원히 빛나는 별이 되어 반짝인다

2048px 2732px
무의식4
RHIDAN
2024.5

캔버스 위에 펼쳐진 세상
손끝에서 시작된 여정
각각의 색은 감정을 노래하고
붓끝은 시간을 그리네

한 획, 한 점의 조화로운 춤
아직 완성되지 않은 꿈
느리게 흐르는 저녁놀처럼
그림은 조용히 말을 걸어오네

모든 색상의 이야기를 들려주고
흰 도화지 위에 삶을 펼쳐
시간이 멈춰 선 듯,
모든 것이 하나로 어우러지는 순간

눈앞에 펼쳐진 이 아름다운 광경은
한 폭의 그림이 되어
내 마음속 깊은 곳에 자리 잡고
영원히 잊혀지지 않을 기억으로 남네

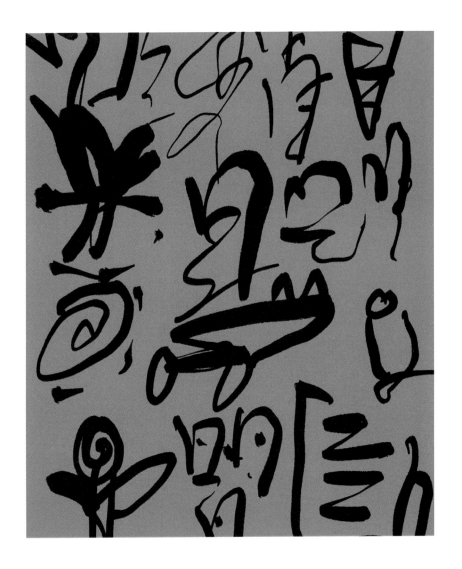

2048px 2732px
무의식5
RHIDAN
2024.5

물감을 품은 붓이
한 점 한 점 캔버스에 닿을 때마다
색의 언어로 속삭이는 그림

눈 앞에 펼쳐지는 세상을
단순한 선과 면으로 담아내며
감정의 무게를 색상에 싣고

빛과 그림자 사이를 넘나들며
조용히 이야기를 풀어내는
화가의 손끝에서 탄생한 세계

각각의 색은 고유의 언어를 가지고
마음의 고동을 그려내는
무언의 대화, 깊은 고백

푸른 하늘 아래
끝없이 펼쳐진 초록의 들판
그 위로 느리게 걸어가는 그림자 하나

이 그림은 끝이 없는 이야기를 담아
오래도록 바라보아도
항상 새로운 감정을 일깨워 준다

이 그림처럼 당신의 일상에도
색다른 이야기가 펼쳐지기를 바라며
오늘도 붓을 들어 새로운 세계를 그립니다.

2048px 2732px
무의식6
RHIDAN
2024.5

그림 속에서 살아 숨 쉬는
빛과 그림자의 아름다운 무용
캔버스 위에 펼쳐진
현실과 꿈의 경계에서

붓 끝이 스치는 순간마다
생명을 얻는 색의 조화
한 획 한 획 쌓여가는
비밀스러운 이야기의 조각들

창백한 빛 속에 잠긴 방
누군가의 꿈이 담긴 그림 한 점
감정의 파도를 타고 흐르는
시간 속에 멈춰선 감상

그림이라는 창을 통해
보이는 세상과 보이지 않는 마음
서로를 닮은 듯 다른 색과 선들이
서로를 비추고, 서로를 그린다

이 그림 속에 담긴 것은
그저 색과 선의 배열이 아니라
조용히 마음을 울리는
어느 화가의 깊은 눈빛

2048px 2732px
무의식7
RHIDAN
2024.5

손끝에서 펼쳐지는 섬세한 선들
한 자락 한 자락 캘리그라피의 춤
마음을 담아 흐르는 잉크의 향연
그 속에서 발견하는 나만의 세계

온통 펼쳐진 종이 위를
걷는 것 같은, 그윽한 흔적
감성이 깃든 글씨, 온기를 품고
서툰 손길조차 따스함으로 스며들어

각각의 글자가 살아 움직이며
이야기를 시작하는 순간
시간조차 잊고 빠져드는
그 마법 같은 시간의 연속

캘리그라피를 통해
나를 표현하는 하나의 방식
글자 하나하나에 심금을 울리는
온통 세상을 아름답게 쓰다

2048px 2732px
온통캘리
RHIDAN
2024.5

꿈 꾸기 좋은 밤
깊어가는 가을 밤

2048px 2732px
가을밤
RHIDAN
2024.5

그런 이유로
달려갔습니다
세월이 기다려 주지는 않습니다
내가 찾아 달려 갈 수 밖에요
자
함께 달려 갑시다

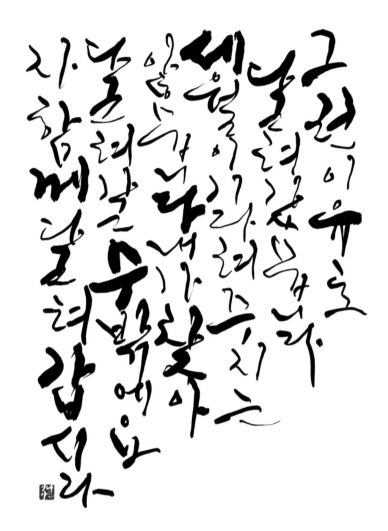

2048px 2732px
동행
2024.5

당연한 일은 이루어 집니다

2048px 2732px
당연한 일은 이루어 집니다
RHIDAN
2024.5

운명은 또 그렇게 다가 왔습니다

2048px 2732px
운명의시간
RHIDAN
2024.5

십이월에 사랑이 찼다

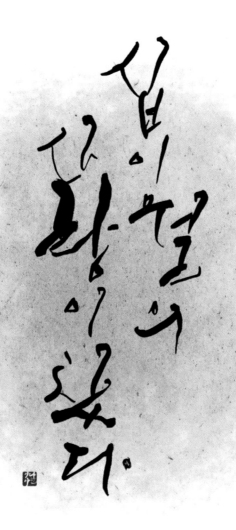

2048px 2732px
사랑
RHIDAN
2024.5

비나이다
비나이다
온전한
건강을

2048px 2732px
온전한 건강을
RHIDAN
2024.5

가녀린 모습에
마음을
빼앗겨 버리다

2048px 2732px
마음은
RHIDAN
2024.5

말로는 다하지 못하는
당신의 목소리
다시는 못 들을 것 같아

2048px 2732px
목소리
RHIDAN
2024.5

시월의 밤 아름다운 달빛

2048px 2732px
시월愛
RHIDAN
2024.5

온통캘리그라피

발 행 | 2024년 05월 08일
저 자 | 박창수
펴낸이 | 한건희
펴낸곳 | 주식회사 부크크
출판사등록 | 2014.07.15.(제2014-16호)

주 소 | 서울특별시 금천구 가산디지털1로 119
        SK트윈타워 A동 305호
전 화 | 1670-8316
이메일 | info@bookk.co.kr
ISBN | 979-11-410-8403-5

www.bookk.co.kr